S0-BIN-070

Enciclopedia del saber

Nuestros antepasados.
Día a día

Julia Bruce

LIBSA

© 2010, Editorial LIBSA
C/ San Rafael, 4
28108 Alcobendas. Madrid
Tel. (34) 91 657 25 80
Fax (34) 91 657 25 83
e-mail: libsa@libsa.es
www.libsa.es

ISBN: 978-84-662-2035-4

Derechos exclusivos de edición para
todos los países de habla española

TRADUCCIÓN: Ladislao Castellanos

ILUSTRACIONES: Peter Dennis, Steve Noon, Nicky Palin
y Mark Stacey

© MMV, Orpheus Books Limited

TÍTULO ORIGINAL: *Living in the Past*

CONTENIDO

4 LOS VIKINGOS

6 LAS CRUZADAS

8 UN CASTILLO MEDIEVAL

10 UNA CIUDAD EN LA EDAD MEDIA

12 CHINA EN LA EDAD MEDIA

14 LOS SAMURÁIS

16 AMÉRICA ANTES DE COLÓN

18 PIRATAS

20   EL CAPITÁN COOK

22   LOS INDIOS
DE LAS PRADERAS

24   LA FIEBRE DEL ORO

26   UN PUEBLO DEL
SALVAJE OESTE

28   UN POBLADO ZULÚ

30   UNA CALLE HACE
150 AÑOS

32   ÍNDICE

INTRODUCCIÓN

Imagina que pudieras viajar 1.000 años atrás. Podrías visitar a las gentes vikingas del mar, o desfilar con los caballeros cruzados por Jerusalén. Desplazándote unos cuantos siglos, podrías dejarte caer en el Imperio Inca, navegar por los Mares del Sur con el capitán Cook o explorar el Salvaje Oeste. ¿Cómo sería vivir en estos excitantes lugares hace tantos años?

LOS VIKINGOS

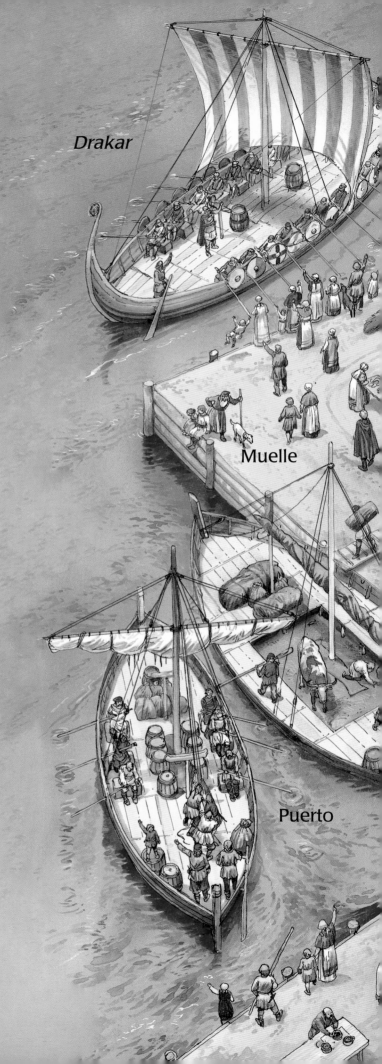

Drakar

Muelle

Puerto

Los vikingos vivieron hace unos 1.000 años en Noruega, Suecia y Dinamarca. Eran marineros avezados y artesanos. En sus famosos barcos *drakar* llegaron a explorar lugares lejanos como América del Norte. También eran guerreros y a menudo hacían incursiones en las ciudades y pueblos de la costa.

VIVIR EN UNA CIUDAD VIKINGA

El puerto era el lugar más importante de una ciudad vikinga. Aquí se cargaban y descargaban los barcos con bienes y animales. Los mercados estaban en el muelle. Cerca, los constructores de barcos, alfareros, curtidores, carpinteros y otros artesanos estaban ocupados en sus talleres. Sus casitas estaban hechas de madera con tejados de paja.

Empajando

Horno de panadero

Guerreros

Trabajo del cuero

Secado de pieles

Pozo

Corte de la madera

Herrero

Tejedores

Sala de actos

Mercado

LAS CRUZADAS

Las Cruzadas fueron unas guerras entre cristianos y musulmanes. Comenzaron cuando la gran ciudad cristiana de Constantinopla fue amenazada por una invasión musulmana en el siglo XI.

CRUZADOS

Caballeros y personas de toda condición social en toda Europa se presentaron como voluntarios para ser cruzados. Formaron ejércitos y partieron hacia Constantinopla. Lucharon en muchas batallas y en 1099 capturaron la ciudad santa de Jerusalén a los musulmanes, manteniéndola en su poder durante casi 100 años.

CASTILLOS Y MONJES SOLDADOS

Los caballeros Templarios y los Hospitalarios de San Juan eran cruzados dedicados a defender Jerusalén. Eran conocidos como monjes soldados y construyeron grandes castillos (abajo) para proteger la tierra que habían conquistado alrededor de Jerusalén. Los Hospitalarios también atendían a los heridos.

Saladino fue un hombre muy religioso y honorable. Además, fue un gran militar que ganó muchas batallas a los cristianos.

SALADINO Y LOS SARRACENOS

Saladino, sultán de Egipto, unificó muchos pequeños estados musulmanes de Oriente Medio y creó un ejército. Los cruzados llamaban sarracenos a estos musulmanes que eran excelentes jinetes y valerosos combatientes. El ejército de Saladino reconquistó Jerusalén en 1187. Saladino organizó una tregua, pero hubo más Cruzadas y el territorio cambió de manos varias veces. Las Cruzadas terminaron alrededor del año 1300.

UN CASTILLO MEDIEVAL

Los castillos fueron construidos por los reyes y señores para defender sus tierras. Tenían muros anchos y altos con almenas y normalmente estaban rodeados por un foso. El edificio principal se denominaba torre del homenaje.

Torre del homenaje

Estancia (residencia privada del señor)

Gran salón

Capilla

Almacenes

Almacenes

Cocinas

Liza

Pozo

Forja del herrero

Establos

LA VIDA EN UN CASTILLO

La torre del homenaje era donde vivían el señor y su familia. Cenaban en el gran salón. Los sirvientes del señor trabajaban en la forja, las cocinas y almacenes, además de en los establos de la liza, el patio del castillo. Un caballero servía al rey o al señor como soldado, lo que llevaba muchos años de entrenamiento para aprender los conocimientos de las armas. Los caballeros debían someterse a un código de caballería y participaban en los torneos, donde tenían lugar las justas.

Almenas

Justas

Foso

macenes

Rastrillo

Torre de entrada

Puente levadizo

Murallas

Mazmorras

UNA CIUDAD EN LA EDAD MEDIA

La actividad era febril en una ciudad medieval, ya que mucha gente vivía y trabajaba allí. La ciudad estaba protegida por fuertes murallas y por guardas que vigilaban a quien atravesara sus murallas. Dentro, los edificios estaban apretujados entre sí junto a calles estrechas y curvadas.

Mercado de pescado

Casa del comerciante

LA VIDA EN LA CIUDAD

La ciudad medieval era un lugar muy sucio, maloliente y ruidoso. Las calles atestadas de gente estaban llenas de tiendas. Los mercados eran muy bulliciosos y vendían comida que se cultivaba en granjas fuera de la ciudad. Los comerciantes traían telas, especias y metales preciosos de fuera. Los artesanos de la ciudad elaboraban bienes que después intercambiaban con los comerciantes. La gente venía desde muy lejos a rezar en la catedral, cuyo tamaño inmenso mostraba a todos lo rica que era la ciudad.

Catedral

Castillo

Murallas de la ciudad

Empajando

Panadería

Herrero

Mercado

CHINA EN LA EDAD MEDIA

China era el país más rico del mundo en la Edad Media, pero siempre estaba amenazada por las tribus del norte. Los mongoles conquistaron china en el año 1200.

Kublai Khan amaba la caza y fue un gran jinete. Normalmente cazaba con un leopardo que llevaba consigo en el lomo de su caballo.

CAPITALES DE CHINA

Chang'an fue la primera capital de China y estaba situada en China central, al inicio de la Ruta de la Seda, una ruta comercial entre Oriente y Occidente. Tenía grandes palacios, fabulosas pagodas y jardines preciosos. El nuevo emperador mongol Kublai Khan hizo de Cambaluc (Beijing), situada en el extremo norte, su ciudad principal.

La mayoría de la gente en la China medieval eran campesinos. Las cosechas que cultivaban les servían de alimento a ellos, además de al ejército y la gente de las ciudades.

Kublai Khan fue el primer emperador extranjero de China. Fue un gobernante sabio y tolerante.

MARCO POLO

Kublai Khan animó a los viajeros extranjeros a que visitaran su corte. Marco Polo llegó desde Venecia en 1275 y fue un sirviente leal al emperador durante 18 años, además de viajar por todo el Imperio Chino.

Marco Polo, su padre y su tío se inclinan ante Kublai Khan. Marco Polo escribió un libro muy interesante sobre sus asombrosos viajes.

PALACIO DE VERANO

El palacio de verano de Kublai Khan en Shandu era el más espléndido. Tenía muros de mármol y oro y sus techos dorados estaban tachonados con rubíes y diamantes.

JUNCOS CHINOS

Marco Polo navegó por la costa de Asia en un sólido barco chino llamado junco. Los juncos tenían velas sujetadas por mástiles de bambú. El más grande podía llevar hasta 600 personas. Durante el siglo XV, el explorador chino Zheng He viajó por India, Arabia y África en un junco grande.

LOS SAMURÁIS

Los samuráis eran valientes guerreros japoneses. Fueron muy poderosos en los tiempos medievales, cuando Japón estuvo dividido por las guerras entre clanes rivales.

Por último, un líder samurái llegó al poder y se convirtió en Shogun, un dictador militar. Los Shogunes gobernaron Japón en nombre del emperador durante los siguientes 700 años.

Castillos samuráis

Los primeros samuráis eran campesinos y cuando no estaban luchando volvían a ocuparse de sus granjas. Se convirtieron en expertos en las artes marciales y eran hábiles jinetes. Los samuráis más poderosos ocupaban altos cargos en la corte y vivían en castillos lujosos para mostrar su poder. El *Tenshu*, edificio principal del castillo samurái, tenía varias plantas de altura y estaba protegido por fuertes murallas. Algunos tenían incluso un foso.

La armadura samurái estaba hecha de metal o de placas de cuero encajadas. Todos los samuráis llevaban un par de espadas curvas *(daisho)* y solían llevar máscaras moldeadas con caras terroríficas.

AMÉRICA ANTES DE COLÓN

Muchos pueblos diferentes habitaban en América antes de ser descubierta por los europeos. Los aztecas, incas y mayas formaron grandes civilizaciones que perdieron su poder con la llegada de los conquistadores españoles en el siglo XVI.

LOS INCAS

Los incas fueron un pueblo rico. Su enorme imperio se extendió 5.000 km por las montañas de los Andes de América del Sur. Adoraban al Sol.

Los incas construyeron una red de carreteras a través de su imperio montañoso. Puentes suspendidos con cuerdas cruzaban barrancos profundos. Las personalidades importantes eran llevadas por las carreteras subidos en literas que acarreaban sus sirvientes.

LOS AZTECAS

Los aztecas gobernaron un área enorme de lo que hoy día es México. Conquistaron a muchas tribus locales. Tenían un gran ejército de soldados entrenados. Los temibles guerreros jaguar (derecha) eran soldados que habían capturado a muchos enemigos. La capital azteca, Tenochtitlán, era una magnífica ciudad construida en mitad de un lago. La ciudad tenía muchos templos, cada uno construido con la forma de una pirámide empinada.

LOS MAYAS

Los mayas de América Central practicaban un deporte severo donde los jugadores trataban de meter una pelota en un aro situado a unos 8 m por encima del suelo. Sólo podían usar sus caderas o codos. El juego se tomaba muy en serio: los perdedores eran condenados a muerte.

COLÓN

Cristóbal Colón partió de España a través del Atlántico en 1492 buscando una ruta alrededor del mundo. Cuando llegó a las islas del Caribe pensó que eran las Indias Orientales y reclamó la tierra para España.

PIRATAS

Los piratas eran delincuentes del pasado que asaltaban los barcos para robar la mercancía. Muchos piratas navegaban por los océanos en barcos robados entre los siglos XVI y XVII. Atacaban otros barcos, apresaban la carga y mataban a las tripulaciones. La cuenca del mar Caribe era muy popular entre los piratas. En Europa, los corsarios de Berbería apresaban personas para llevarlas al norte de África como esclavos.

Barcos enormes, llamados galeones, eran el objetivo preferido para los barcos piratas, más pequeños y rápidos, en el mar Caribe. Los galeones a menudo llevaban oro, joyas y monedas («piezas de ocho»).

La bandera pirata estaba formada por la famosa calavera con las espadas cruzadas.

¡AL ABORDAJE!

Los piratas atacaban a menudo los galeones españoles por sorpresa. Izaban la bandera pirata sólo momentos antes de llevar a cabo el ataque. Después de perseguir el galeón, el barco pirata se colocaba al lado y entonces, armados con los alfanjes o espadas de hoja curva, los piratas abordaban el barco. Algunos piratas también llevaban pistolas y cuchillos.

Después de una feroz batalla contra la tripulación del barco, los piratas victoriosos tiraban por la borda al capitán. Entonces requisaban el tesoro, las armas y la comida que encontraban antes de navegar de nuevo.

EL CAPITÁN COOK

En 1768 se conocía muy poco de los Mares del Sur. Se creía que había un enorme continente. Para descubrir más, el marino británico James Cook fue enviado en una gran expedición alrededor del mundo.

El barco de Cook, el *Endeavour* era un antiguo transporte de carbón, pesado y lento de movimientos, pero tenía mucho espacio para comida fresca. El barco sobrevivió a varias tormentas y a un naufragio.

HACIA LOS MARES DEL SUR

Cook partió primero hacia la isla de Tahití, en el Pacífico, donde los científicos observaron el planeta Venus. Después descubrió Nueva Zelanda y se topó con los fieros maoríes, que aparecen aquí en sus canoas de guerra (arriba). Entonces navegó hacia el oeste hasta Australia.

James Cook nació en Yorkshire, Inglaterra, en 1728. Partió hacia el mar a la edad de 18 años y se convirtió en uno de los mejores marineros de la historia.

Los hombres de Cook se asombraron ante los extraños animales que vieron en Australia. Cook dijo que los canguros eran tan grandes como ovejas y saltaban como liebres. También dijo que su carne era muy rica para comer.

LA VIDA A BORDO DE UN BARCO

La vida en el *Endeavour* era muy opresiva: el techo era tan bajo en los camarotes que la tripulación se tenía que inclinar continuamente. Pero el capitán Cook se preocupaba de sus hombres y el *Endeavour* volvió sano y salvo a Inglaterra en 1772. Había navegado por todo el mundo. Cook hizo dos grandes viajes más al océano Pacífico. En las islas Hawái lo tomaron por un dios, pero cuando Cook volvió en 1779 tuvo una discusión con los aborígenes acerca de un bote robado. Por este motivo, hubo una violenta lucha en la que Cook resultó muerto.

LOS INDIOS DE LAS PRADERAS

Hace 200 años, los sioux vagaban por las Grandes Praderas de América del Norte. Vivían en tribus y cazaban búfalos para abastecerse de comida y pieles. Cuando los rebaños de búfalos se desplazaban, los sioux les seguían a través de las praderas.

Secado de carne

Raspado del cuero

Aprendiendo el tiro con arco

Llevando a un bebé

VIVIENDO EN UN TIPI

Cada familia sioux vivía en su propio tipi, una tienda construida con pieles de búfalo que se extendían sobre una estructura de palos. Podía montarse y desmontarse rápidamente y empaquetarse cuando la tribu se desplazaba. Dentro del tipi había un fuego para mantener el calor y cocinar. El humo salía por el orificio superior. Los sioux cazaban al búfalo a caballo con arcos y flechas. Las mujeres secaban o cocinaban la comida y preparaban las pieles raspándolas y extendiéndolas al sol.

Travois
(carro de arrastre tirado por caballos o personas)

Interior de un tipi

Jefe sioux

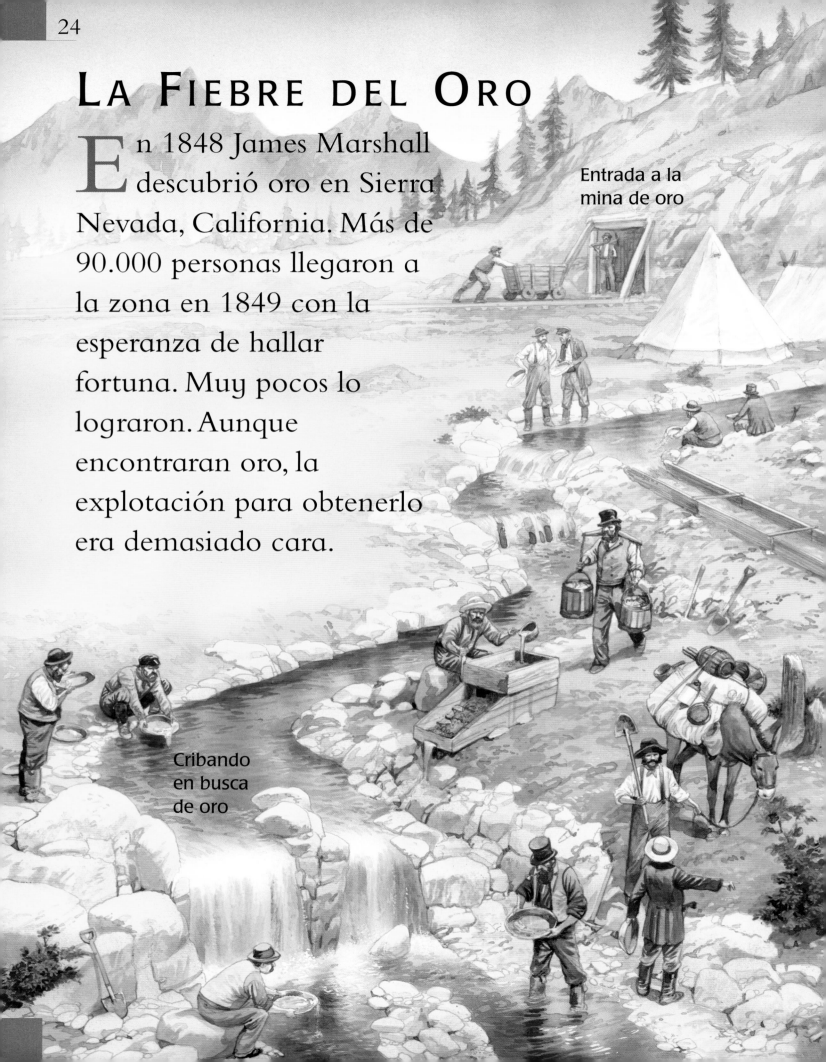

LA FIEBRE DEL ORO

En 1848 James Marshall descubrió oro en Sierra Nevada, California. Más de 90.000 personas llegaron a la zona en 1849 con la esperanza de hallar fortuna. Muy pocos lo lograron. Aunque encontraran oro, la explotación para obtenerlo era demasiado cara.

Entrada a la mina de oro

Cribando en busca de oro

CRIBANDO EN BUSCA DE ORO

Los mineros buscaban oro en el barro del curso de un río. Algunos construían canales de madera muy sólidos, pensando que quedarían trozos de oro en ellos. Otros simplemente sacaban barro y lo echaban a una cacerola o un cuenco de madera. El agua limpiaba la tierra dejando el polvo del oro.

Noria

Tiendas

Pozo

Buscando oro en un canal de agua

Cavando en busca de oro

Un pueblo del Salvaje Oeste

El ferrocarril unió en 1870 las Grandes Praderas con las ciudades ricas del este de Estados Unidos. Los vaqueros arreaban el ganado a través de las praderas hasta las ciudades y luego el ganado se transportaba en tren hasta el mercado.

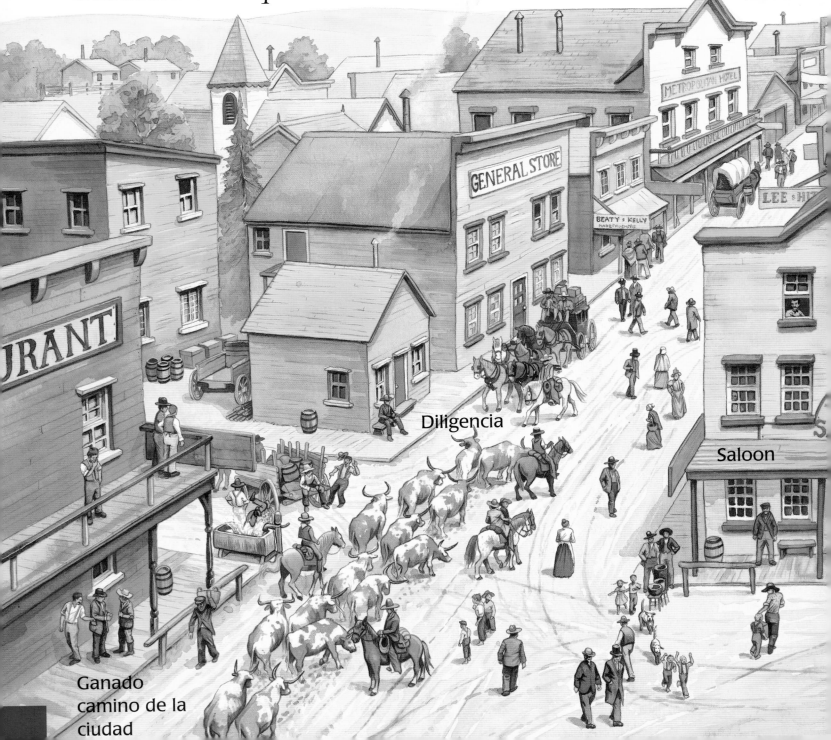

Diligencia

Saloon

Ganado camino de la ciudad

LA VIDA EN UN PUEBLO GANADERO DEL OESTE

Las ciudades con mucha actividad crecieron en las praderas cerca del ferrocarril. El ganado era llevado por vaqueros por los caminos ganaderos desde los ranchos al sur de Tejas. Después de un viaje tan largo, los vaqueros se emborrachaban y peleaban en los salones y en los bailes, pero también llevaban dinero y mantenían ocupado al herrero haciendo nuevas herraduras después de un viaje tan largo.

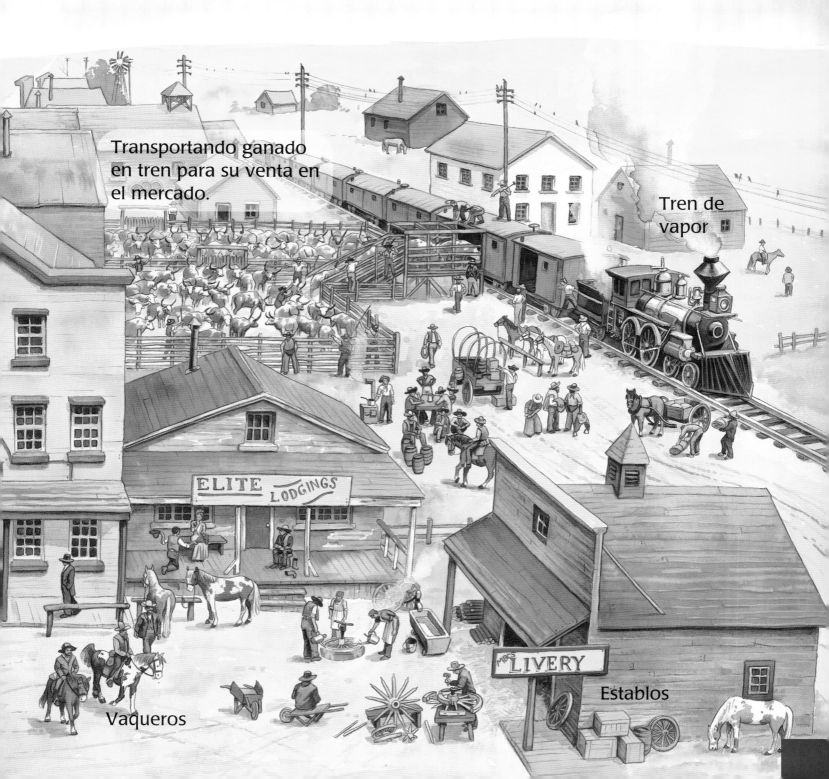

Transportando ganado en tren para su venta en el mercado.

Tren de vapor

ELITE LODGINGS

LIVERY

Establos

Vaqueros

UN POBLADO ZULÚ

El pueblo zulú del sur de África estaba formado por campesinos y guerreros. El ganado era muy importante para ellos, puesto que les suministraba comida y ropa. Bajo el reinado de Shaka, en el siglo XIX, los zulúes se convirtieron en una nación muy poderosa.

Almacenes

Haciendo
un horno

UNA CASA ZULÚ

En esta escena, un clan zulú se prepara para una ceremonia. El jefe y los guerreros están vestidos para una danza guerrera tradicional. El trabajo de los hombres y jóvenes era vigilar el ganado y defender al clan. Los jóvenes aprendían a ser guerreros.

El jefe tenía varias mujeres y muchos hijos. Las mujeres zulúes cuidaban de los niños, atendían a las cosechas y recogían agua del río, llevándola en jarros grandes sobre sus cabezas. Las mujeres hacían preciosos collares y preparaban pieles de ganado para hacer vestidos y escudos.

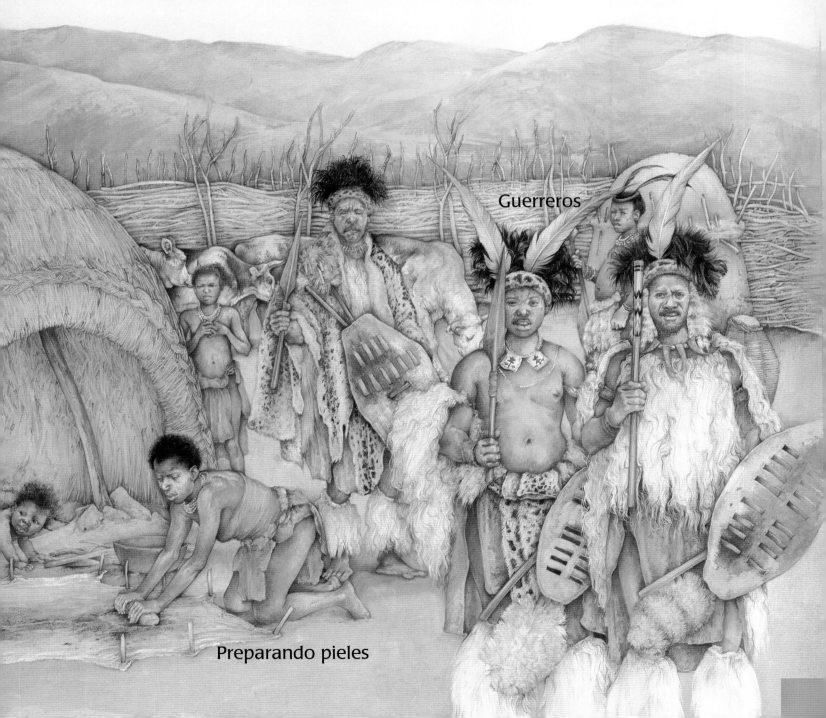

Guerreros

Preparando pieles

Una calle hace 150 años

Durante el siglo XIX, las ciudades crecieron rápidamente en Europa y América del Norte. Con la llegada de la industria, se necesitaban trabajadores para las nuevas fábricas. Se construyeron ferrocarriles para facilitar el transporte de personas y mercancías. Muchas personas se mudaron del campo a las ciudades.

Afilador

Mendiga

Vendedor de sopa

LA VIDA EN LA CALLE

En la época victoriana, ricos y pobres vivían casi mezclados. Vagabundos, vendedores ambulantes, tenderos y deshollinadores se mezclaban en las calles con la alta sociedad. Los trenes de vapor y los autobuses tirados por caballos eran el medio de transporte.

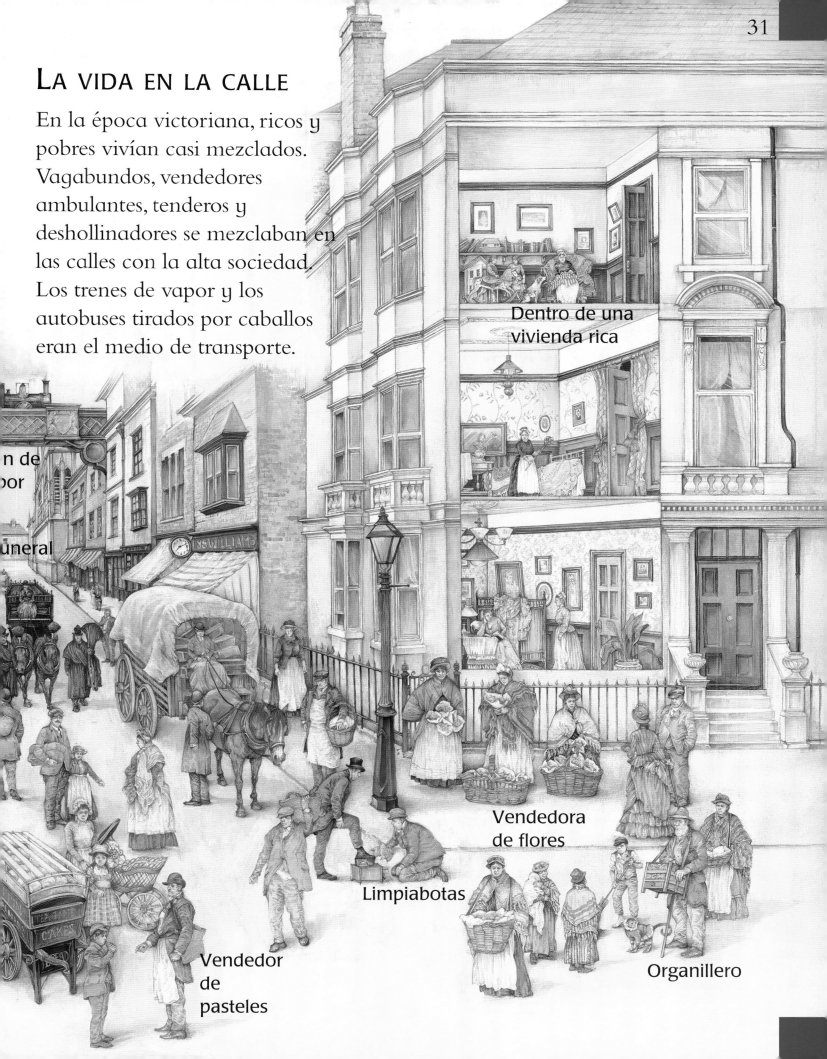

Dentro de una vivienda rica

Vendedora de flores

Limpiabotas

Organillero

Vendedor de pasteles

ÍNDICE

América 16-17
América del Norte
    4, 22-23, 24-25,
    26-27, 30
Australia 20-21
artesanos 4, 11
autobuses 31
aztecas 16-17

bandera pirata
    18-19
barcos 4, 13, 18, 20,
    21
batallas 6-7, 19

caballeros 6-7, 9
caballeros
    Templarios 7
caballerosidad 9
canguros 21
canoas 20
carreteras 16
castillos 7, 8-9, 11,
    15
catedral 11
caza 12, 22-23
ceremonias 29
China 12-13
ciudades 10-11,
    30-31
cristianos 6
Colón, Cristóbal 17
comerciantes 10-11
conquistadores 16
constantinopla 6
Cook, James 20-21

corsarios, de
    Berbería 18
cruzados 6-7
cultivos 11, 12, 15,
    28

danza 29
diligencia 26
drakar vikingo 4

ejércitos 6-7. 12
empajar 5, 11
emperadores
    12-13
Endeavour 20-21
Europa 4-5, 6, 8-9,
    10-11, 18, 30
exploradores 4, 13,
    17, 20-21

fábricas 4, 13, 17,
    20-21
ferrocarriles 26, 27,
    30

galeones 18-19
ganado 26-27,
    28-29
guerreros 5, 14, 17,
    28, 29

Hawái 21
herreros 5, 8, 11,
    27
Hospitalarios de
San Juan 7

inca 16,
indios de las
praderas 22-23
industria 30

Japón 14-15
Jerusalén 6-7
jinete 7, 12, 15
juncos 13
justas 9

Kublai Khan
    12-13

maorí 20
marciales, artes 15
Marshall, James 24
maya 16, 17
Media, Edad 10-11,
    12-13
medieval, China
    12-13
medieval, Japón
    14-15
medievales
    castillos 8-9
    ciudades 10-11
    mercados 4-5,
    10-11, 26
mongoles 12
monjes 7
musulmanes 6-7

Nueva Zelanda 20

oro 13, 24-25

Oro, Fiebre del
    24-25

palacios 12-13
patio interior 8-9
piratas 18-19
Polo, Marco 13
puerto 4

reyes 8, 9, 28
Ruta de la Seda 12

Saladino 7
salones 26-27
samurái 14-15
sarracenos 7
señores 8, 9
Shaka, rey 28
Shangdu 13
sioux 22, 23
Shogun 14
solar 8

Tahití 20
talleres 4
telares 30
templos 17
Tenochtitlán 17
tipi 23
torneo 11, 12
travois 23
trenes 26, 27, 31

vaqueros 26-27

Zheng He 13
zulúes 28-29